*Les poneys magiques*

# Terribles vacances

## L'auteur

La plupart des livres de Sue Bentley évoquent le monde des animaux et celui des fées. Elle vit à Northampton, en Angleterre, et adore lire, aller au cinéma, et observer grenouilles et tritons qui peuplent la mare de son jardin. Si elle n'avait pas été écrivain, elle aurait aimé être parachutiste ou chirurgienne, spécialiste du cerveau. Elle a rencontré et possédé de nombreux poneys qui ont à leur manière mis de la magie dans sa vie.

### Dans la même collection :

1. *Un nouvel ami*
2. *Un vœu très spécial*
3. *Des étoiles plein les yeux*
4. *Au bout des rêves*
5. *Le carrousel magique*
6. *Un amour de poney*
7. *Un hiver enchanté*
8. *En colonie de vacances*
9. *Une nouvelle cavalière*
10. *Terribles vacances*

**Vous avez aimé**

*les poneys magiques*

**Écrivez-nous**
**pour nous faire partager votre enthousiasme :**
**Pocket Jeunesse, 12 avenue d'Italie, 75013 Paris**

# Sue Bentley

# *Les poneys magiques*

## Terribles vacances

*D'après Sue Bentley, adapté par Natacha Godeau*

*Illustré par Grégory Blot*

**POCKET JEUNESSE**
**PKJ·**

D'après une idée originale de Sue Bentley
pour Penguin Books Ltd, Londres.

Loi n° 49-956 du 16 juillet 1949 sur les publications
destinées à la jeunesse : septembre 2013.

ISBN 978-2-266-23706-2

# Prologue

Comète déploya ses longues ailes d'or et s'éleva vers les nuages. Il survola l'île du Brouillard arc-en-ciel, en suivant la vallée Verte et en scrutant la montagne Brumeuse. Mais nulle part il ne voyait Destiny, sa sœur jumelle. Comète se posa alors à l'orée d'un bois, sa robe crème scintillant au soleil. Vite, il se cacha derrière un bouquet d'arbres : si les chevaux de la Nuit l'apercevaient, ils essaieraient de lui prendre sa magie! Soudain, une voix familière l'appela :

— Comète, es-tu là?

Flambeau, le chef de la Harde des Éclairs, venait d'atterrir dans la clairière. Comète trotta jusqu'à lui.

— Ah, Flambeau, enfin te voilà! As-tu retrouvé la trace de Destiny?

— Pas encore, mon jeune ami. Ta sœur a peur de revenir sur l'île. Pourtant, tu as récupéré la Pierre du Pouvoir qu'elle croyait avoir perdue en jouant avec toi. Elle n'a plus de raison de se cacher!

Comète secoua sa crinière dorée d'un air désolé. Le chef de la harde ajouta :

— Destiny n'est pas en sécurité, loin d'ici. Il faut la ramener parmi nous.

Flambeau frappa le sol de son sabot. Une merveilleuse opale apparut à ses pieds dans un tourbillon d'étoiles. Elle se mit à briller de mille feux.

— Regarde, Comète, dit-il.

Le poney obéit. Il fixa la Pierre du Pouvoir de ses grands yeux violets. Et l'image de Destiny apparut à l'intérieur du joyau enchanté ! Elle galopait au sommet d'une falaise, qui longeait la mer. Comète s'exclama :

— La pierre enchantée vient de me montrer ma sœur. Elle est dans le monde des humains. Je dois partir à sa recherche !

— Parfait, acquiesça Flambeau. Mais n'oublie pas de te déguiser.

Comète hocha la tête. Un éclair violet s'échappa de ses ailes. Puis une brume arc-en-ciel virevolta autour de lui et le transforma en petit poney alezan, à la robe brun cuivré.

— Sois prudent ! recommanda Flambeau.

Des étincelles crépitèrent sur le dos de Comète.

Il s'ébroua et rassembla ses pouvoirs magiques. Le brouillard multicolore qui l'entourait se mit à tourbillonner, vite, vite, de plus en plus vite… et l'emporta.

# 1

La voiture tourna à droite dans l'allée. Stella regardait par la vitre de la portière : un panneau indiquait «Camping de la Falaise». La fillette se renfrogna. Sa mère, apercevant sa mine boudeuse dans le rétroviseur, lui lança :

— Souris un peu, Stella !

— C'est vrai, quoi, on est en vacances ! ajouta son père.

Ils avançaient maintenant entre les rangées de

mobil-homes, tous pareils et parfaitement alignés. La fillette fronça les sourcils.

— Des vacances sans Domino… ça n'a aucun intérêt, marmonna-t-elle.

— Ton poney te manque déjà ? Tu es passée lui dire au revoir, ce matin même. Et nous reviendrons dans dix jours à peine.

— Je sais, papa. Seulement, ce n'était pas prévu. Je m'étais inscrite au Festival du cheval. Et je devais participer au Trophée des juniors avec Domino.

Stella poussa un profond soupir. Sa mère essaya de lui remonter le moral :

— Je comprends ta déception, ma chérie. Mais on va bien s'amuser, tous les trois, au bord de la mer. Et puis, il y aura d'autres compétitions, ne t'inquiète pas.

— Ce ne sera pas la même chose, bougonna la fillette. Celui-ci, c'était notre tout premier concours. J'avais spécialement entraîné Domino. Pendant deux mois !

— Hé bien, ça lui fera des vacances, à lui aussi ! plaisanta M. Morel.

Les beaux yeux sombres de Stella s'embuèrent de larmes. Elle passa vite la main dans ses cheveux noisette. Ils étaient coupés court et n'avaient pas besoin d'être recoiffés, mais la fillette avait pris cette habitude quand elle voulait s'empêcher de pleurer, comme d'autres se mordent la langue ou l'intérieur des joues. Elle détestait l'idée que Domino soit très bien sans elle… Pourtant, il le serait certainement : Suzy, l'amie vétérinaire de sa mère, s'en occupait toujours à merveille.

« D'un autre côté, songea Stella, je suis contente que Domino se sente heureux pendant ces dix jours… Il ne risque pas de s'ennuyer autant que moi ! »

Son père venait de garer la voiture devant le mobil-home qu'ils avaient loué. Impossible de se tromper : une pancarte avec leur nom était accrochée à un tronc d'arbre, juste devant.

— Bienvenue « chez nous » ! s'exclama la mère de Stella en ouvrant l'étroite porte blanche.

Ils s'engouffrèrent avec leurs bagages à l'intérieur, et s'immobilisèrent au milieu du coin salon-cuisine-salle à manger.

— Ce n'est pas très grand, constata M. Morel, dépité.

— Non, en effet… Mais cela ne va pas nous empêcher de dîner !

Stella grogna :

— Désolée, maman, je n'ai pas très faim.

— Écoute, ma chérie, on ne va pas commencer les vacances en ronchonnant pour un oui ou pour un non. Ton père a travaillé très dur, ces dernières semaines. Il a besoin de se reposer quelques jours… Il faut que tu comprennes, tu es grande maintenant.

La fillette protesta :

— Ce n'est pas ma faute si je n'ai pas faim !

— À neuf ans, on ne se prive pas de repas sans raison valable. D'autant que tu as beaucoup grandi en peu de temps ! Nous allons installer la table sous l'auvent et préparer à manger, ça te laisse une demi-heure pour visiter le camping… et retrouver l'appétit !

Stella obéit. Quand sa mère parlait sur ce ton, il était inutile d'insister. Elle sortit donc de la caravane et emprunta l'allée principale caillouteuse qui parcourait l'immense terrain du camping. Des caravanes et des mobil-homes se succédaient tout du long, chacun sous son arbre.

Avec sa régularité, l'endroit manquait de surprise, il était même carrément ennuyeux.

— Et il n'y a même pas de piscine, pesta tout bas la fillette.

Quand elle entendit le bruit des vagues, en contrebas, elle se dit que le lendemain, tout de même, elle pourrait aller se baigner dans l'océan… Elle arriva bientôt à l'entrée, où elle trouva un café avec des tables en terrasse, un kiosque à journaux et une épicerie. Stella était découragée : dix jours ici… qui promettaient de ressembler à dix ans !

— Mon pauvre Domino ! Dire qu'en ce moment on pourrait s'entraîner ensemble pour remporter le Trophée des juniors…

Stella haussa les épaules et rebroussa chemin. Elle remarqua alors un bosquet d'arbres à l'écart. Ils formaient comme une cabane de verdure. Elle décida d'aller s'y asseoir un moment, et pénétra dans l'ombre apaisante.

«Cette cachette sera mon refuge secret des vacances!» pensa-t-elle.

Elle s'enfonça sous les arbustes à l'abri des regards et s'adossa à un tronc. Confortablement assise en tailleur sur la mousse épaisse, elle contempla son nouveau domaine. Elle imaginait déjà ce qu'elle allait faire ici, toute la journée, lorsqu'un bruit étrange la fit sursauter. On aurait cru que quelqu'un, ou quelque chose, se faufilait derrière les feuillages…

— Qui est là? appela-t-elle timidement.

Pas de réponse. Elle insista:

— Je peux vous aider?

— Oh oui, ce serait fantastique! souffla une voix sourde, tout près d'elle.

Stella bondit sur ses pieds. Une grosse tête apparut alors entre les branches, et la fillette se retrouva nez à nez… avec un adorable poney alezan! Aussitôt, elle oublia sa peur et lança:

— Qu'est-ce que tu es beau, toi! Ton cavalier ne doit pas être loin, il vient de me réclamer de l'aide!

— Je n'ai pas de cavalier, répliqua alors le poney. C'est moi qui t'ai parlé.

Stella, stupéfaite, retomba sur les fesses dans l'herbe!

# 2

Le poney alezan fit le tour des arbustes et trottina jusqu'à elle. Il retroussa les lèvres comme pour sourire et, ses immenses yeux violets brillant de gentillesse, il articula :

— Ne crains rien. Je suis Comète, de la Harde des Éclairs. Je viens de l'île du Brouillard arc-en-ciel et, dans mon pays, tous les poneys parlent.

— C'est impossible, bredouilla Stella. Je suis forcément en train de rêver ! J'ai dû m'endormir et...

— Non, tu ne rêves pas. Regarde !

Et dans un tourbillon d'étincelles violettes, Comète reprit un bref instant sa véritable apparence de poney aux ailes d'or. Stella bégaya encore :

— Tu viens d'un royaume magique ?

Comète secoua sa crinière blonde pour acquiescer.

— Je m'appelle Stella, se présenta alors la fillette. Je passe quelques jours de vacances ici. Tu pourrais m'emmener dans ton royaume ?

— Malheureusement non, Stella. Il te faudrait des pouvoirs enchantés pour aller sur l'île du Brouillard arc-en-ciel.

— Dommage… Mais pourquoi perds-tu ton temps dans ce camping désert ? Ton île est sûrement mille fois plus intéressante !

Le poney reprit sa forme terrestre avant d'expliquer :

— Je cherche ma sœur jumelle, Destiny. Je me déguise pour être plus discret dans ton monde.

— C'est vrai qu'avec tes ailes scintillantes tu attirerais vite l'attention, pouffa la fillette.

Comète tourna sur lui-même avec élégance.

— J'aime assez ma belle robe brun cuivré. Pas toi ?

— Oh, si ! Elle te va très bien ! Mon poney à moi est noir et blanc. Il se nomme Domino.

— Tu es une excellente cavalière, à ce qu'il paraît, remarqua Comète d'un air mystérieux.

Tant mieux ! Accepterais-tu de m'aider à retrouver Destiny ?

Stella opina. Elle demanda :

— Elle a disparu depuis longtemps ?

— Non, mais je suis inquiet. Elle n'est pas en sécurité sur la Terre. Elle se cache parce qu'elle croit avoir perdu la Pierre du Pouvoir en jouant avec moi. Cette pierre est une opale enchantée. Sans elle, notre harde n'a plus de magie.

— Tu veux dire qu'elle n'est pas vraiment perdue ?

— Non, je l'ai retrouvée. Elle m'a montré Destiny en train de galoper sur les hauteurs qui dominent la mer. Ma sœur n'a plus besoin de fuir, puisque tout est en ordre sur l'île du Brouillard arc-en-ciel. J'aimerais tant la rassurer et la ramener chez nous !

La fillette comprenait le chagrin de Comète. Elle aussi, si elle avait eu une sœur jumelle effrayée, elle aurait voulu la secourir et la consoler !

— Compte sur moi, déclara-t-elle soudain. Si Destiny est dans les parages, nous la retrouverons !

— Merci, Stella. Tu es une amie précieuse. J'aimerais commencer par inspecter la grotte, sur la plage.

— D'accord, mais pas tout de suite. Je dois d'abord rentrer dîner. Mes parents doivent m'attendre depuis un bon moment !

Elle sortit du bosquet, le poney sur les talons. Il hennit :

— Tu as raison. Pour aujourd'hui, c'est trop tard. Mieux vaut se reposer cette nuit et entreprendre nos recherches demain matin.

Stella caressa la crinière de Comète en guise de bonsoir, puis elle reprit l'allée en direction de leur mobil-home. Quand elle entendit que le poney lui emboîtait le pas, elle se retourna, catastrophée :

— Écoute, Comète, tu ne peux pas m'accompagner. Je ne saurais pas quoi dire à mes parents, tu comprends?

— Bien sûr! Si je débarquais chez eux, venu de nulle part, ils se poseraient des tas de questions! Sauf que...

Il s'interrompit afin de ménager la surprise. La fillette n'y tint plus:

— Sauf que quoi?

— Sauf que tu es la seule qui peut me voir et m'entendre!

— C'est génial! s'exclama Stella.

Comète ne serait là que pour elle! Le poney la mit cependant en garde:

— Sois très discrète. Tu ne dois parler de moi à personne. Ni de l'île du Brouillard arc-en-ciel. Je peux te faire confiance?

— Je te promets de garder le secret, s'engagea la fillette d'un ton solennel.

Au moment de se quitter à la porte de la caravane, Comète salua Stella.

— Tu vas dormir là-bas, sous les arbustes ? se
soucia la fillette.

Comète s'immobilisa en riant :

— Oh, non ! J'ai beaucoup mieux. Une petite
écurie, dans un champ, de l'autre côté de la
route. J'y suis vraiment très bien.

Stella soupira, rassurée.

— Bonne nuit, alors, Comète. À demain
matin, au bosquet !

Le poney disparut derrière un mobil-home,
et la fillette rentra chez elle. Ses parents patien-
taient en écoutant la radio. Ils l'accueillirent
joyeusement :

— Ah, Stella, enfin ! On a installé les lits. Tu
es dans la pièce attenante à la douche. C'est petit,
mais au moins, tu as ta propre chambre.

— Merci, ça me fait très plaisir !

La fillette chantonnait en traversant la caravane. Elle ajouta :

— Et je meurs de faim !

— On a changé notre Stella, ma parole ! lâcha son père. Tu ne regrettes plus d'être ici, ma chérie ?

— Tu ne veux plus annuler le séjour et rentrer à la maison ? enchaîna sa mère.

La fillette s'esclaffa :

— Je serais bien bête de vouloir repartir ! Je sens que ces vacances vont être passionnantes !

Elle fonça s'attabler sous l'auvent, impatiente de dîner. Ses parents, un peu étonnés, la rejoignirent en haussant les épaules : décidément, Stella les surprendrait toujours !

# 3

Stella s'éveilla le lendemain d'excellente humeur. Elle avait rêvé toute la nuit qu'elle présentait Comète à Domino, et que les deux poneys s'entendaient parfaitement. Domino ne se montrait même pas jaloux!

«J'espère qu'il ne m'en voudrait pas de m'amuser avec un autre poney», pensa la fillette en se levant.

Elle se doucha, s'habilla, puis sortit du mobil-home, pressée d'aller retrouver Comète. Sa mère lui barra le chemin.

— Halte-là, jeune fille ! Tu n'oublies rien ?

Elle lui tendit une tartine de pain brioché, et Stella sourit. Le petit déjeuner ! Quelle bonne idée : comme ça, elle pourrait apporter un gros morceau de brioche à Comète !

Stella attendit qu'il n'y ait personne aux alentours, puis elle se faufila discrètement dans le bosquet d'arbres et appela en chuchotant :

— Comète ? Tu es là ?

Pas de réponse.

— C'est moi, Stella. J'ai quelque chose pour toi !

La fillette patienta, imaginant que le poney la rejoindrait plus tard. Mais au bout d'un moment, elle s'inquiéta : « Il a peut-être trouvé quelqu'un d'autre pour l'aider à rechercher Destiny ? »

Elle quitta sa cachette et alla inspecter les environs. Elle traversa le camping d'un bon pas, regardant à droite et à gauche avec soin. Elle arriva à la grille de l'entrée et, de là, elle aperçut les silhouettes de deux animaux dans un pré, en face. Comète lui avait dit qu'il avait trouvé une petite écurie, de l'autre côté de la route. Bien décidée à le retrouver, elle courut demander à ses parents la permission d'aller voir.

M. et Mme Morel finissaient de se préparer.

— Où se trouve ce pré ? Ce n'est pas dangereux ?

— Non, maman. Et puis je ne vais pas y entrer, de toute façon. Je veux juste savoir s'il s'agit de poneys. Ce n'est pas loin, c'est en face du camping, juste derrière le café.

— Je sais, je l'ai vu, hier, quand on est arrivés, dit son père. Tu promets de rester sur le bord de la chaussée ? Ce terrain appartient forcément à quelqu'un. C'est une propriété privée.

— Promis, juré, craché ! répliqua Stella.

Ses parents hésitèrent une seconde, puis sa mère lança :

— C'est d'accord, ma chérie. Mais tu emportes mon téléphone portable, tu décroches si je t'appelle, et tu nous rejoins sur la plage d'ici vingt minutes.

— Merci ! s'exclama la fillette.

Et, fourrant l'appareil dans sa poche, elle fila en direction du pré. Lorsqu'elle parvint à la clôture, elle retint un cri de bonheur : les animaux s'étant approchés de la route, elle reconnaissait maintenant Comète sans difficulté. Il broutait en compagnie d'un autre poney à la robe couleur caramel.

— Comète ! Je suis là ! cria Stella.

— Ce n'est pas Comète, son nom, protesta une voix dans son dos.

Stella se retourna, surprise. Une fillette, aux longs cheveux blonds et bouclés, la fixait. Stella se souvint qu'elle était la seule à voir le poney magique. Elle comprit donc que la fillette parlait de l'autre poney, et elle bredouilla :

— Oh, je disais ça comme ça...

— Remarque, ce n'est pas mal, Comète. Mais je préfère quand même Écorce. Ça lui va bien, non ?

Stella hocha la tête. Elle demanda :

— Il est à toi ?

— Oui, papa me l'a offert l'an dernier, répondit fièrement la fillette. Je l'ai entraîné moi-même et pour mes dix ans, il y a deux mois, j'ai reçu une vraie selle en cuir. J'aimerais tellement m'inscrire à une compétition !

À ces mots, elle claqua de la langue plusieurs fois contre son palais, et Écorce trotta à sa rencontre. Comète l'imita, mais Stella s'efforça de ne pas lui sourire, afin que la fillette ne se doute de rien. Cette dernière interrogea alors :

— Qu'est-ce que tu fais, près de l'enclos ? Tu aimes les chevaux ?

— J'ai un poney, chez moi. Il s'appelle Domino. Et moi, je suis Stella. Stella Morel.

— Enchantée, Stella. Je m'appelle Noëlla Boyer.

Les yeux bleu pâle de la fillette étincelèrent malicieusement, illuminant son joli visage bronzé. Elle ajouta :

— Ce champ appartient à mon père, comme tous les autres, sur au moins cent hectares ! Mes parents sont fermiers, ils possèdent la plus grande exploitation de la région. Papa m'a construit une petite écurie, pour Écorce, derrière la haie. Il s'y plaît beaucoup, en été. En hiver, je le garde dans une stalle plus chaude, à la ferme. Il cohabite avec notre cheval de labour. Si tu as envie, tu pourras monter Écorce. Je te prêterai ma selle et ma bombe.

Stella sourit.

— C'est gentil ! remercia-t-elle. Je suis en vacances au Camping de la Falaise.

— En vacances ? répéta Noëlla d'un ton brusquement moins gai.

— Pour dix jours. Ça nous laissera le temps de faire connaissance !

— Peut-être. Bon ben, bonne journée, je dois conduire Écorce en balade.

Noëlla entra dans l'enclos et s'éloigna avec le poney sans se retourner. Stella attendit qu'elle disparaisse derrière l'écurie.

— Tu as vu ça, Comète ? Quand je lui ai dit que j'étais en vacances au camping, elle n'a plus voulu me parler. Je te parie que c'est une crâneuse qui n'aime pas les campeurs !

— Elle ne parle pas du tout comme une crâneuse, remarqua le poney magique. Mais c'est vrai que sa façon de réagir a été bizarre...

Stella haussa les épaules.

— On a mieux à faire, de toute façon. On doit retrouver Destiny ! Tu viens explorer la plage ? Mes parents m'attendent là-bas.

— Heureusement que je suis invisible pour eux ! pouffa Comète.

Il tendit les naseaux vers la poche de la fillette et ajouta :

— Miam ! Ça sent la brioche, par ici !

Et Stella lui offrit en riant le petit déjeuner qu'elle lui avait apporté.

Ils passèrent la matinée à fouiller les grottes de la plage, sans résultat. Pourtant, Comète ne se découragea pas. Avec Stella, ils décidèrent même de reprendre les recherches dès que possible.

— La prochaine fois, on part en patrouille sur la falaise ! déclara la fillette.

Elle adorait la compagnie de Comète, mais malgré tout elle regrettait l'attitude étrange de Noëlla. Elles auraient pu devenir de grandes amies, toutes les deux !

# 4

Après deux jours de recherches vaines, Comète eut une idée. Si sa sœur jumelle demeurait introuvable, c'était peut-être parce qu'elle ne sortait que la nuit ! C'était le meilleur moyen de ne pas se faire repérer par les humains... Comète attendit donc que la lune se lève, puis il trottina sans bruit jusqu'au mobil-home de la famille Morel.

— Stella ! hennit-il doucement à la fenêtre.

La fillette s'éveilla en sursaut. Elle tendit l'oreille et entendit de nouveau :

— Stella !

Vite, elle bondit de son lit et se pencha à la fenêtre.

— Comète ! chuchota-t-elle en apercevant le poney devant la caravane. Tu es fou, il est au moins minuit !

— Justement, c'est l'heure idéale pour chercher Destiny ! Tu viens ?

Stella hésita. Il faisait terriblement noir dehors. Le poney magique souffla encore :

— Je sais utiliser la lueur des étoiles, regarde !

Il fit une pirouette, et sa robe alezane se mit à scintiller sous la lumière céleste, illuminant le paysage tout autour de lui. Quel spectacle magnifique !

— Tu es sûr qu'on ne risque rien ? insista Stella. Je ne peux pas réveiller mes parents pour leur demander l'autorisation.

— Sûr et certain !

La fillette enfila alors un gilet sur son pyjama. Et elle sortit à pas de loup…

Comète galopait le long du rivage, les sabots dans l'eau. La lune se reflétait dans les vagues, et l'air frais des embruns rosissait les joues de Stella. À califourchon sur le poney, elle se cramponnait à sa crinière, grisée par la course sur la plage.

— Quand je pense que tu n'as même pas de selle, ni de rênes ! lança-t-elle.

41

— C'est ce qui s'appelle monter à cru, expliqua Comète. Tu as peur ?

Stella éclata de rire.

— Au début, oui, mais maintenant plus du tout !

— Alors, prépare-toi à accélérer !

Et dans un tourbillon d'étincelles violettes, le poney partit brusquement à la vitesse de l'éclair. Stella avait l'impression de suivre le vent. Une sensation extraordinaire !

— Dis-moi si tu aperçois Destiny, surtout ! lui rappela Comète.

Elle se concentra. Elle scruta la plage, la falaise, mais ne vit rien. À la fin de leur expédition, le poney poussa un soupir déçu.

— On aurait dû trouver au moins une empreinte…

— Peut-être que Destiny ne se déplace qu'en volant ? suggéra Stella.

— Oui, mais elle laisse des traces de sabots

dans le ciel. Ou dans l'eau… Elle me manque tellement !

La fillette partageait la tristesse de son ami. Même si ce n'était pas la même chose qu'une sœur, elle s'ennuyait de Domino. Elle pensait à lui, et elle aurait presque tout donné pour lui passer les bras autour du cou et sentir sa bonne odeur de foin séché au soleil !

— Mon pauvre Comète ! Il ne faut pas perdre espoir, on ressaiera demain. Tiens, et si je passais faire un coucou à Écorce, avant de rentrer au camping ?

— Il sera certainement ravi, Stella !

À cette heure de la nuit, Écorce avait l'habitude de quitter l'écurie pour aller brouter l'herbe humide de rosée. Ce gros gourmand prétendait que ça l'aidait à se rendormir plus rapidement ! Il était en train de se régaler lorsque Comète et Stella arrivèrent. Il salua le poney magique en collant son nez contre le sien. Comète répondit d'un souffle affectueux.

— Pourquoi Écorce peut-il te voir? s'étonna Stella.

— Parce que je l'ai décidé, répondit tout simplement Comète.

— Dans ce cas, mes parents aussi pourraient te voir?

— Si je le voulais, oui. Mais il vaut mieux ne pas révéler à trop de monde l'existence de l'île du Brouillard arc-en-ciel!

La fillette hocha la tête. Même si elle avait confiance en son père et sa mère, elle savait que Comète avait raison. Un secret n'est bien gardé que s'il est à peine partagé! Elle reprit:

— Il faut que j'aille me coucher, à présent. Ou demain, je serai trop fatiguée!

Elle mit la main devant sa bouche et bâilla. Comète hennit:

— Je te raccompagne.

Stella grimpa sur le dos du poney magique, et ils traversèrent le champ au petit trot. Tout à coup, quelque chose brilla dans l'herbe, à quelques pas devant eux. Stella plissa les yeux pour mieux voir ce qu'éclairaient les rayons de la lune, et elle reconnut un tesson de bouteille. Si Comète marchait dessus, il se blesserait très gravement au pied !

— Attention ! hurla-t-elle aussitôt.

Comète freina brutalement des quatre fers. Stella lâcha sa crinière et, propulsée par la violente secousse, elle voltigea droit vers les débris de verre.

# 5

— Aaaaah!

Stella ne put retenir un cri de terreur. Elle ne voulait pas atterrir sur les éclats de verre tranchants! Mais à sa grande surprise, elle n'eut pas le temps de toucher le sol. Des étincelles mauves crépitèrent tout autour de Comète. Un nuage multicolore s'en dégagea. Il enveloppa la fillette, ralentissant sa chute. Elle se sentit transportée sur la droite, et le nuage la déposa en douceur dans l'herbe, loin des bris de verre. Ouf! Elle l'avait échappé belle ! Le nuage se dissipa dans l'air. Elle bredouilla, les larmes aux yeux :

— Oh, merci, Comète, tu m'as sauvée grâce à ta magie ! J'aurais pu me blesser sur ces morceaux de verre !

— Tu n'as pas à me remercier, Stella, répliqua-t-il en la rejoignant. C'est toi qui m'as sauvé ! Une plaie à la jambe est très grave, pour un cheval. Tu es une amie fidèle, et j'ai beaucoup de chance de t'avoir rencontrée au camping.

Un sentiment de bonheur immense envahit la fillette. Elle se pencha sur Comète et l'entoura de ses bras. Il lui souffla avec tendresse dans le cou. La douce chaleur de son haleine la réconforta.

— J'aurais eu tellement de peine, si tu t'étais coupé, murmura-t-elle.

Elle s'était attachée au petit poney. Elle savait qu'il devrait bientôt repartir dans son île enchantée. Mais elle se sentait si bien en sa compagnie qu'elle préférait éviter d'y penser. Il lança :

— Allons, Stella. Sois raisonnable et rentre. La nuit avance, tu dois dormir.

— Avant, je vais ramasser tous les éclats de verre. Il ne faudrait pas qu'Écorce marche dessus…

La fillette s'agenouilla dans l'herbe et commença son travail. Elle prit les morceaux un à un et les enveloppa avec précaution dans un mouchoir en papier. Par chance, la lune éclairait assez le pré pour lui faciliter la tâche. Quand Stella eut tout ramassé, elle sortit du champ et alla jeter son mouchoir dans la corbeille municipale, située sur le bord de la route. Comète la félicita.

— Tu as fait du bon boulot, Stella.

— Merci, mais je me demande qui a pu être assez idiot pour jeter une bouteille dans le champ !

— Le coupable ignorait sans doute qu'un poney habitait là.

La fillette leva les yeux au ciel.

— On voit bien l'écurie, quand même ! Mais, de toute façon, ce n'est pas une raison. On n'a pas le droit de jeter des déchets n'importe où. Surtout lorsqu'il s'agit d'un terrain privé !

Comète ne put qu'approuver.

— Oui, tout cela est interdit… d'autant plus que ça t'a mise très en retard !

Le poney frappa du sabot sur le sol :

— En selle ! Je te reconduis au Camping de la Falaise !

# 6

Le lendemain, Stella se rendit au village avec ses parents. Ils avaient repéré une petite crique tranquille, située en retrait de la grande plage, et ils avaient décidé d'y pique-niquer en famille. Il fallait donc acheter du pain, ainsi que quelques provisions indispensables à la confection des sandwichs. Contre toute attente, Stella suivit ses parents sans rechigner. Elle sifflotait même en parcourant les rayons du petit supermarché.

— On dirait que l'air de la mer te convient, constata sa mère.

— Oui, on préfère te voir ainsi ! renchérit son père.

Stella prit une boîte d'œufs sur une étagère. Occupée à chercher ce qu'elle pourrait bien acheter pour Comète, elle n'écoutait ses parents que d'une oreille distraite. Son père reprit :

— Tu ne m'en veux plus de t'avoir privée du Trophée des juniors ?

— Non, non, ce n'est pas grave.

— On prendra des nouvelles de Domino ce soir, promit sa mère. Je dois téléphoner à Suzy.

— Ah, chouette ! approuva la fillette.

Saisissant une botte de carottes par les fanes, elle demanda :

— On peut prendre ça ?

Sans attendre la réponse, elle plaça dans le chariot son cadeau pour Comète tout en fredonnant gaiement. Son père haussa un sourcil, intrigué.

— On n'a pas besoin de ça au pique-nique, Stella. Qu'est-ce que tu vas en faire ?

— Oh, c'est juste pour le poney que j'ai…

La fillette s'interrompit en rougissant. Un peu plus, et elle trahissait son nouvel ami de l'île du Brouillard arc-en-ciel ! Elle s'empressa de rectifier :

— Un poney, dans le champ d'à côté. Il s'appelle Écorce. J'ai rencontré par hasard sa propriétaire, Noëlla Boyer. Elle a dix ans, ses parents sont fermiers. Ils possèdent d'immenses terrains tout autour du camping.

— Voici donc la raison de ta bonne humeur ! crut deviner sa mère.

Stella ne répondit pas. Ouf ! Personne ne pouvait se douter qu'elle s'était liée d'amitié avec un poney magique… À elle de faire attention à ne plus en parler !

La petite crique déserte était un paradis. Après déjeuner, Stella et son père jouèrent un moment au ballon. La fillette s'amusa ensuite à observer les crabes dans les trous d'eau avec sa mère. Puis ses parents s'allongèrent sur le sable pour la sieste, à l'ombre des hautes falaises de roche grise, et Stella se mit à penser à Comète. Presque aussitôt, un hennissement retentit dans son dos. Elle se retourna et aperçut le poney alezan. Elle allait crier son nom, lorsqu'il lui fit signe de se taire.

— Chut, Stella! Je suis invisible pour tes parents. Ils ne voient même pas mes empreintes de sabots. Mais toi, ils t'entendent parfaitement… Je t'attends derrière la dune, dans la prairie. Dis que tu vas cueillir des coquelicots!

Il s'éloigna. Stella lança alors:

— Il y a plein de fleurs dans la prairie. Je peux aller les voir?

Sa mère l'y autorisa, et la fillette courut retrouver le poney. Elle s'assit auprès de lui en s'excusant:

— Je suis désolée de ne pas avoir pu t'aider à retrouver Destiny ce matin. Mais je faisais des courses avec mes parents.

— Ne t'inquiète pas, souffla Comète. On essaiera en fin d'après-midi, ça changera. Tes parents te laisseront partir en promenade?

— Oh oui, pas de problème. Ils ont confiance en moi. Je devrai juste rentrer avant l'heure du dîner.

— Alors, c'est d'accord, Stella !

Elle l'embrassa et sortit la botte de carottes de son sac. Tout content, Comète croquait à belles dents dans les fanes quand une silhouette se dessina au loin, sur la plage. Elle approchait rapidement, et la fillette reconnut bientôt Noëlla, montée sur Écorce. Elle galopait dans les vagues qui s'écrasaient sur le rivage. Stella se leva et agita la main en hélant :

— Hé, Noëlla ! Coucou !

Cette dernière répondit à son appel et trotta en direction de la prairie. Stella triompha :

— Peut-être qu'elle acceptera d'être mon amie, finalement ?

— Apprends à te montrer patiente, nota Comète.

La fillette n'eut pas le temps de répliquer. Noëlla venait de la rejoindre.

— Salut, Stella.

Elle ne voyait pas Comète, évidemment. Stella se répéta tout bas de ne pas l'oublier et de ne pas s'adresser au poney magique devant elle… Elle s'exclama :

— Écorce est magnifique ! Tu lui fais faire sa balade quotidienne ?

— On ne vient que deux fois par semaine sur la plage, répondit Noëlla. Il adore ça mais, avec l'eau salée, je suis obligée de le doucher après. Et c'est très long !

Stella poussa un soupir. La veille de son départ, elle avait douché Domino pour lui dire au revoir… Il lui manquait tellement !

— Si tu veux, je peux le doucher avec toi, proposa-t-elle.

Noëlla refusa :

— Pas besoin de t'embêter, je me débrouille toute seule, j'ai l'habitude.

— Oh, bien sûr, mais c'était l'occasion de mieux se connaître, insista Stella en souriant.

— On se reverra une autre fois, d'accord ? coupa Noëlla.

Et sans un mot de plus, elle repartit au galop du côté de la falaise. Stella croisa les bras avec colère.

— Cette fille est incompréhensible ! Qu'est-ce que j'ai dit de mal ?

— Rien du tout, affirma Comète.

— Pourtant, elle m'évite !

— Elle est quand même venue te dire bonjour, remarqua le poney.

Stella se renfrogna.

— Ça ne compte pas. Dès que je veux lui parler vraiment, elle se sauve !

Elle tapa du talon par terre.

— Je parie que si elle savait pour les morceaux de verre que j'ai ramassés dans l'enclos d'Écorce, elle changerait d'avis !

— À quel sujet ? s'étonna Comète.

— Ben, à mon sujet, voyons ! Elle ne veut pas devenir amie avec une campeuse !

Le poney secoua la tête.

— Ça, c'est toi qui le dis, Stella. Rien ne prouve que ce soit la vérité.

— De toute façon, cela n'a aucune importance, car je ne pourrai jamais lui raconter pour la bouteille cassée, marmonna la fillette.

Elle caressa le front de Comète avant de poursuivre :

— Si tu dois rester un secret, comment lui expliquer ce que je faisais dans le pré au milieu de la nuit ? Elle avertirait forcément mes parents !

# 7

Plus les jours passaient, plus Stella appréciait la compagnie de Comète. Ils partaient chaque soir à la recherche de Destiny, et ces expéditions le long des falaises qui surplombaient la plage remplissaient la fillette de joie. Elle se sentait si libre, avec les embruns qui lui fouettaient le visage au rythme du galop !

— On explore la caverne du Poisson-Chat, cette fois ? proposa-t-elle en sortant du camping.

Elle donne sur la crique. Peut-être que Destiny y a laissé des empreintes ?

— Peut-être même qu'elle s'y cache ! renchérit Comète.

Ils prirent donc la route et passèrent devant l'enclos d'Écorce. Noëlla nettoyait l'écurie en attendant l'heure du dîner.

— Attention, Comète ! murmura Stella. Si tu es invisible, je ne peux pas rester sur ton dos, ç'aurait l'air trop bizarre !

— Tu crois vraiment que je n'ai pas pensé à ça ? se moqua gentiment le poney. À partir de cet instant, Noëlla aussi peut me voir et m'entendre. Mais elle ignore que je sais parler, bien sûr. Alors, sois prudente... et trouve un bon prétexte pour expliquer ma présence !

La fillette réfléchissait, lorsque Noëlla l'aperçut. Elle lâcha son râteau et courut la rejoindre à la barrière. Elle tendit un brin d'herbe à Comète en demandant :

— D'où vient ce poney ? Je ne l'avais encore jamais vu par ici.

Stella tenta d'éviter de répondre :

— Il est beau, hein ?

— Oh oui ! D'ailleurs, c'est drôle, il ressemble à Écorce... Il est à toi ?

Stella hésita :

— On me l'a prêté. Comme ça, je continue l'entraînement avant de rentrer auprès de Domino...

— Tu as raison, approuva Noëlla. Mais tu ne devrais pas monter sans casque, c'est dangereux. Qui te l'a prêté ?

— Heu... Mes parents ont rencontré une dame, à l'épicerie. Elle est venue en vacances avec son poney. Elle campe beaucoup plus loin. C'est papa qui est allé emprunter le poney pour moi.

Noëlla soupira.

— Tu as de la chance. Moi, mon père m'aurait dit de me débrouiller ! Et il s'appelle comment, ce poney ?

— Com...

Stella s'arrêta juste à temps. Elle s'empressa de corriger :

— Commandant !

— Commandant ? Quel drôle de nom ! Mais ça lui va plutôt bien...

Comète se campa fièrement sur ses pieds, les oreilles dressées. Elles éclatèrent de rire. Stella osa alors proposer :

— Tu voudrais qu'on aille se balader, demain, sur la plage, avec nos poneys ?

— Oh oui ! On...

Noëlla s'interrompit.

— Non, demain, j'ai trop de travail. Et là, je dois y retourner. Je n'ai pas fini de changer la paille de la stalle d'Écorce. À plus tard !

Elle repartit de l'autre côté du pré. Lorsqu'elle s'engouffra dans l'écurie, Stella et Comète se remirent en chemin.

— C'est trop bête! murmura la fillette. Noëlla avait pourtant l'air contente de nous voir. Au début, elle était même d'accord pour aller en promenade… Qu'est-ce que j'ai encore fait de travers?

Elle ne comprenait pas : on aurait juré que Noëlla mourait d'envie de devenir son amie… mais qu'elle s'en empêchait ! Elle haussa les épaules.

— Tant pis, on n'y pense plus. Concentrons-nous sur Destiny !

Une fois de plus, Stella et Comète revinrent bredouilles de leurs recherches. Ils ne perdaient cependant pas espoir, et décidèrent de fouiller le lendemain la prairie et ses alentours… après un bon dîner et une longue nuit de sommeil réparateur ! Ils regagnaient le pré d'Écorce, lorsqu'ils croisèrent une bande de vacanciers qui venait de sortir du Camping de la Falaise, de l'autre côté de la chaussée. Vite, Stella descendit de son poney invisible. Les campeurs, trop bruyants pour lui prêter attention, traversèrent la route. Ils s'accoudèrent à la barrière de l'enclos et commencèrent à jeter des canettes de soda vides

dans l'herbe. Ils riaient à gorge déployée,
essayant même de viser ce pauvre Écorce qui se
précipita, terrorisé, vers son box. Stella sentit
son sang bouillonner de rage !

— Regarde, Comète : je te parie ce que sont
eux qui ont lancé la bouteille en verre dans le
champ, l'autre soir !

— Méfie-toi, Stella…, conseilla le poney magique.

Mais la fillette était déjà bien trop énervée pour l'écouter. Elle apostropha les vacanciers :

— Hé ! Ce n'est pas un jeu, ça ! Un poney vit dans ce pré. Il pourrait se blesser, avec une de vos canettes. Il y a une poubelle municipale, à trois pas derrière vous !

Les campeurs la dévisagèrent en riant.

— De quoi tu te mêles, gamine ? rétorqua l'un d'eux. Si ça te dérange, ramasse-les toi-même, ces canettes. Et si ce poney est assez bête pour marcher dessus, c'est son problème.

— Ouais, appuya un autre. Et puis, pour ne pas se faire mal, il n'a qu'à enfiler une paire de sabots, ce gros dada !

Ses amis s'esclaffèrent. Stella rugit :

— Quelle blague stupide ! Ça ne m'étonne pas de gens comme vous !

— Désolé de te choquer, gamine, reprit le premier. Mais j'ai encore besoin de me débarrasser de ça!

Il brandit une nouvelle canette vide en direction d'Écorce. Ni une, ni deux, Stella fonça droit sur lui et lui retint le bras.

— Lâche-moi! tempêta le garçon.

— Jamais! Je ne vous laisserai pas faire!

— Je te préviens, tu vas le regretter! menaça un autre membre du groupe.

La fillette recula à peine. Soudain, des étincelles mauves s'échappèrent de la robe alezane de Comète. Elles formèrent un nuage multicolore qui s'envola jusqu'aux campeurs... et les arrosa d'une pluie glacée, en évitant Stella. Stupéfaits, les vacanciers prirent leurs jambes à leur cou sans demander leur reste. Stella, soulagée, s'exclama :

— Merci, Comète!

— Ces idiots méritaient une leçon, dit-il. Mais, je t'en prie, ne prends plus de tels risques!

— Je ne m'énerverai plus aussi vite, promit-elle. Même si je vais mettre des heures à retrouver toutes les canettes dans le pré…

Comète retroussa les babines dans un sourire malicieux. Un éclair violet surgit de son front et frappa tour à tour les canettes qui vinrent alors s'entasser par magie au pied de la poubelle… pour la plus grande joie de Stella !

# 8

— Allez, Comète !

Stella adorait galoper sur la rive. Ses parents lui avaient donné l'autorisation de rester sur la plage pendant qu'ils allaient acheter du pain au village. Elle en avait aussitôt profité pour appeler son ami de l'île du Brouillard arc-en-ciel.

— Je suis sûre que Domino aimerait la mer, dit-elle, hors d'haleine, quand Comète ralentit sa course.

— Tous les chevaux aiment trotter dans l'eau salée, précisa-t-il.

Stella se rembrunit.

— Pauvre Domino ! J'ai l'impression de l'avoir abandonné à la maison…

— N'importe quoi ! pouffa son ami. Si tu reviens au camping pour les prochaines vacances, amène-le.

— Il faudrait un van…

— Ton père n'aura qu'à en louer un.

— Mais après ? Domino ne peut quand même pas vivre dans une caravane !

Comète hennit de rire.

— Tu es trop drôle, Stella ! Ton poney peut partager l'écurie d'Écorce, voyons !

— Oui, à condition que Noëlla soit plus gentille avec moi…

Un bruit de cavalcade la fit sursauter. Elle se retourna et réprima un cri en voyant Écorce foncer comme une fusée dans leur direction.

Il paraissait complètement affolé, les oreilles plaquées en arrière et les yeux exorbités.

— Où est Noëlla? s'exclama Comète.

— Je ne sais pas, il a dû se passer quelque chose, bredouilla Stella. On doit le rattraper, vite!

Le poney les doubla sur la plage. Aveuglé de terreur, il les bouscula.

— Tout doux, Écorce, arrête! s'égosilla la fillette.

Elle se cramponnait à la crinière de Comète qui l'emportait à vive allure. Quand ils rattrapèrent le fugitif, Stella tendit la main pour le retenir, mais il se débattit avec une force inattendue.

— Je n'y arriverai jamais, Comète! Il est comme fou! Qu'est-ce qu'on va faire?

— Laisse-lui le temps, recommanda son ami.

Il accéléra afin de se placer à la hauteur d'Écorce. Celui-ci tenta de s'écarter, mais Comète souffla d'un ton rassurant:

— On ne te veut pas de mal, mon vieux.

Écorce sembla comprendre soudain où il se trouvait. Il s'arrêta net et s'ébroua, piétinant le sable avec nervosité.

— Voilà, calme-toi, murmura Stella.

Elle lui caressa le bout du nez pour l'apaiser. Au même moment, Noëlla déboucha sur la plage en criant:

— Il n'est pas blessé ?

Stella lui fit signe que tout allait bien et l'attendit avec les poneys. Lorsque Noëlla les rejoignit, Écorce ne tremblait plus du tout. Elle enfouit le visage dans le cou du poney pour l'embrasser. Puis elle releva la tête et remercia Stella :

— J'ai eu si peur ! Sans ton aide, c'était fichu. Merci aussi à toi, Commandant !

Comète s'inclina et Stella se retint de rire en entendant le surnom du poney magique.

— Écorce s'est enfui ? demanda-t-elle.

— Oui, des gens ont ouvert son enclos pour entrer et lui faire peur. Franchement, je ne vois pas ce qu'il y a d'amusant là-dedans !

— Moi non plus. Tu sais qui a fait ça ?

— Aucune idée. J'ai juste aperçu les coupables de dos. Ils se sont enfuis vers le camping, quand je suis sortie de l'écurie. En plus, ces imbéciles ont jeté des papiers de bonbons partout par terre. Je regrette que papa n'ait pas été là. Il leur aurait appris la politesse !

Stella regarda Comète. Il plissa les paupières pour l'encourager à parler.

— Écoute, Noëlla, il faut que je te raconte un truc : je me suis disputée avec un groupe de campeurs, l'autre jour. Ils lançaient des canettes dans l'enclos d'Écorce. Et un soir, avant ça, j'ai trouvé une bouteille cassée dans l'herbe. Je pense que c'était eux. Mais j'ai tout ramassé, ne t'inquiète pas !

— Tu aurais dû m'en parler plus tôt, Stella ! Tu peux me décrire les campeurs ?

— Il y en a un qui a deux piercings dans le sourcil et une cicatrice sur la pommette gauche.

— Marco ! s'écria Noëlla.

Devant la mine intriguée de Stella, elle expliqua :

— C'est le fils des boulangers. Lui et sa bande, ils créent des problèmes dans le village. La police les tient à l'œil. Je vais dire à papa qu'ils se sont

installés au Camping de la Falaise et qu'ils n'ar-
rêtent pas d'embêter Écorce.

— Mais qu'est-ce qu'il peut faire, ton père ?

— Il est adjoint au maire. Il ira les mettre en
garde, et s'ils continuent à jouer aux idiots, il
alertera le commissariat.

Elle grattouilla son poney derrière l'oreille
avant d'ajouter :

— C'est fini, mon tout beau. Plus personne
ne viendra t'embêter !

Puis, à Stella et à Comète :

— Vous nous raccompagnez à l'écurie ?

En chemin, Noëlla tint à présenter ses excuses
à Stella…

— Je n'ai pas très bien agi envers toi.

— Ce n'est pas grave. On n'est pas obligées
de devenir amies.

— Sauf que j'en mourais d'envie, bafouilla
Noëlla.

— Pourquoi tu m'évitais à ce point, alors ?

— Parce qu'on a les mêmes goûts et qu'on se serait bien entendues, toutes les deux.

Stella la regarda d'un air surpris.

— Je suis désolée, Noëlla, je n'y comprends rien !

— C'est pourtant simple, expliqua la fillette. Je ne voulais pas être encore déçue.

— Comment cela ?

Noëlla inspira à fond, puis elle confia :

— Je suis fille unique et, en dehors de l'école, je n'ai aucune copine. Comme mes parents sont fermiers, on ne peut jamais partir en vacances. Il faut s'occuper des récoltes et des animaux. Alors on passe tout l'été au village, où il n'y a pas d'autre enfant de mon âge.

— Tu dois te sentir seule, la plaignit Stella.

— Oui, très. Heureusement, j'ai Écorce ! Parfois, il y a des familles qui s'installent au Camping de la Falaise. L'année dernière, j'ai rencontré Lydia. Elle a passé un mois ici. On est devenu les meilleures amies du monde ! Quand elle a dû rentrer chez elle, on a échangé nos numéros de portable en faisant le serment de rester en contact. Mais elle n'a jamais répondu à mes SMS.

Stella fronça les sourcils.

— C'est triste, Noëlla… Mais ce n'est pas parce que je passe les vacances au camping que je suis comme Lydia !

— Je sais. Seulement, j'ai besoin d'une vraie amie. Pas d'une copine de vacances !

— Mais je suis une vraie amie qui répond aux SMS ! protesta Stella.

— Une formidable amie, insista Comète à son oreille.

Elle rougit de fierté. Noëlla proposa :

— Pour me faire pardonner, je t'invite demain à goûter !

— J'apporterai un gâteau! se dépêcha d'accepter la fillette en riant.

Plus tard, en regagnant le camping avec Comète, Stella remarqua une lueur étrange parmi les cailloux du sentier qui menait au sommet de la falaise. Elle approcha : il s'agissait de traces de sabots légèrement brillantes !

— Destiny! s'exclama-t-elle. Oh non, Comète! Ça signifie que tu dois partir?

— Pas encore, mais on touche au but! répondit le poney. Lorsque Destiny sera tout près, ses empreintes seront scintillantes et on entendra son galop. Je m'envolerai alors à sa poursuite sans perdre une seconde!

Stella retint un soupir. Elle aurait préféré garder Comète auprès d'elle. Mais elle décida de ne pas tout gâcher en pensant maintenant au moment de leur séparation. Ils avaient encore de belles promenades à partager tous les deux!

# 9

Plus que deux jours de vacances pour Stella. Le cœur serré, Noëlla se leva de bonne heure. Puis elle courut au champ et enfourcha Écorce afin d'aller rendre une visite surprise à sa nouvelle amie. Elle prit aussi une longe pour le poney de Stella. Comme ça, si elle le souhaitait, ils pourraient se balader encore une fois tous ensemble sur la plage ! Noëlla et Écorce traversèrent le camping, presque désert à cette heure matinale. En entendant le martèlement des sabots dans l'allée, Stella se précipita à la rencontre des visiteurs.

— Noëlla! Ça tombe bien, mes parents sont partis au supermarché. Ils en ont au moins pour une heure. Tu veux entrer boire un chocolat chaud? Je viens d'en préparer.

— D'accord! Et Écorce?

— Attache-le à l'arbre, devant la porte. Mais laisse-lui une corde assez longue!

— Évidemment! Pour qui tu me prends?

Stella rentra un instant chercher une belle pomme à la cuisine. Elle la tendit à Écorce, puis elle accompagna Noëlla à l'intérieur du mobil-home. Leur bol à la main, elles s'affalèrent sur le petit canapé, près de la fenêtre. Elles commençaient à bavarder, lorsqu'une sonnerie retentit.

— C'est le portable de ma mère, souffla Stella. Elle a dû l'oublier quelque part…

— Là, sur le téléviseur! signala Noëlla.

Stella l'attrapa. Elle identifia instantanément le numéro qui appelait : Suzy !

— C'est la vétérinaire qui garde Domino pendant notre absence, dit-elle à Noëlla.

— Eh bien, réponds ! Imagine qu'il soit arrivé quelque chose !

— Tu crois que j'ai le droit ?

— Explique-lui que ta mère a oublié son téléphone et que tu t'inquiétais pour ton poney, conseilla Noëlla.

Stella hocha la tête. Après tout, elle devait savoir ! Elle prit l'appel :

— Allô, Suzy ? Bonjour, c'est Stella. Maman est partie faire des courses. Il y a un problème avec Domino ?

Elle discuta deux minutes, raccrocha et répéta à son amie :

— Tout va bien. Elle voulait juste prévenir que le Trophée des juniors avait été décalé au week-end prochain, à cause de la pluie.

— Quoi ? Mais c'est génial ! Tu pourras y participer avec Domino !

Stella éclata de rire. Quelle chance ! Elle avait hâte d'annoncer la nouvelle à ses parents !

— Je suis contente pour toi ! ajouta Noëlla. Mais tu vas me manquer, tu sais. Tu promets qu'on se téléphonera souvent ?

— Promis, juré, craché !

— Vrai de vrai ?

— Tu peux me croire, Noëlla, c'est mon serment sacré !

Elles se serrèrent dans les bras l'une de l'autre, quand Stella s'écria :

— Hé, j'y pense : pourquoi tu ne viendrais pas passer quelques jours chez moi ? Il reste encore une semaine de vacances, ce serait rigolo. Et puis on a une chambre d'ami, à la maison, et il y a toute la place qu'il faut pour Écorce dans l'écurie de Domino.

— Mais tes parents… ?

— Je leur en parlerai dès qu'ils rentreront du supermarché.

L'œil brillant, Noëlla s'enhardit, impatiente :

— Dans ce cas, je fonce demander la permission aux miens ! Oh, pourvu qu'ils acceptent !

Elle quitta la caravane en vitesse, grimpa sur son poney et galopa jusqu'à la ferme. Stella lava les bols avant de sortir. Dehors, elle trouva Comète.

— Tu te rends compte ? Je vais finalement participer au Trophée des juniors !

Le poney secoua sa crinière.

— C'est formidable, Stella, je suis certain que tu gagneras !

Un bruit de cavalcade résonna au-dessus d'eux. Destiny ! Comète hennit de bonheur, mais la fillette se raidit. Elle avait tant espéré entendre caracoler les sabots magiques dans le ciel… et en même temps elle avait tant redouté ce moment !

— Alors ça y est, tu as enfin retrouvé ta sœur, murmura-t-elle.

Dans un tourbillon d'étoiles mauves, Comète reprit l'apparence des membres de la Harde des Éclairs et s'éleva dans les airs à grands coups d'ailes scintillantes. Il était magnifique !

— Au revoir, Stella ! Et merci pour tout !

— Merci à toi, Comète ! J'ai passé de merveilleuses vacances. Je ne t'oublierai jamais !

Sa robe pâle brillant au soleil, le poney s'élança à la poursuite de sa sœur jumelle. Il disparut à l'horizon, laissant une plume d'or virevolter dans son sillage. Elle atterrit en douceur dans la paume de Stella, où elle crépita d'étincelles ambrées avant de prendre la couleur crème du poney magique…

— Non, je ne t'oublierai jamais, mon Comète, répéta tout bas la fillette.

Stella n'était plus triste. Pour patienter avant le retour de ses parents, elle était allée acheter un magazine au kiosque du camping. Elle regagnait maintenant sa caravane, heureuse d'imaginer Comète et Destiny enfin réuni sur l'île du Brouillard arc-en-ciel.

«Quant à moi, je vais retrouver Domino! pensa-t-elle joyeusement. Tout est bien qui finit bien pour chacun!»

À sa grande surprise, Écorce était de nouveau attaché à l'arbre, devant la caravane. Elle n'eut pas le temps de pousser la porte: Noëlla surgit sur le perron.

— Mes parents ont dit oui!

— Super! Tu viens quand?

— Ils m'amèneront après-demain. Mais le mieux, c'est l'idée de tes parents à toi!

Ces derniers sortirent à leur tour du mobil-home. Noëlla ne les laissa pas parler:

— Ils sont revenus des commissions depuis un quart d'heure. Comme tu n'étais pas là, ils m'ont ouvert, et je leur ai tout raconté. Ils ont alors proposé que je m'inscrive au Trophée des juniors avec Écorce!

Stella sourit.

— C'est une idée géniale! En plus, ton poney est bien entraîné, grâce à vos courses sur la plage.

— Mais ça ne t'embête pas qu'on essaie de gagner le trophée?

— Au contraire, Noëlla! Nous sommes amies, et les amies, ça partage tout.

«Tout… sauf mon porte-bonheur secret!» songea Stella.

Et elle caressa la plume magique précieusement cachée dans sa poche…

Ouvrage composé par
PCA - 44400 REZÉ


Cet ouvrage a été imprimé
en France par

Normandie Roto Impression s.a.s
61250 Lonrai
en août 2013

N° d'impression : 132749


Dépôt légal : septembre 2013

12, avenue d'Italie - 75627 PARIS Cedex 13